Mis primeras biografías

Cristóbal Colón

Marion Dane Bauer
Ilustrado por Liz Goulet Dubois

SCHOLASTIC INC.
New York Toronto London Auckland
Sydney Mexico City New Delhi Hong Kong

Originally published in English as *My First Biography: Christopher Columbus*

Translated by Juan Pablo Lombana

ISBN 978-0-545-45823-8

12 11 10 9 8 7 6 5 4 3 2 1 12 13 14 15 16 17/0
Printed in the U.S.A. 40
First Spanish printing, September 2012

Book design by Jennifer Rinaldi Windau

De niño, Cristóbal Colón era un soñador.

Soñaba con navegar los mares.

Cuando se hizo hombre,
Cristóbal Colón siguió siendo un soñador.

Soñaba con navegar alrededor del mundo
y llegar a las Indias.

Colón necesitaba marineros y barcos
para que su sueño se hiciera realidad.

Le pidió ayuda al rey de Portugal.

El rey dijo que no.

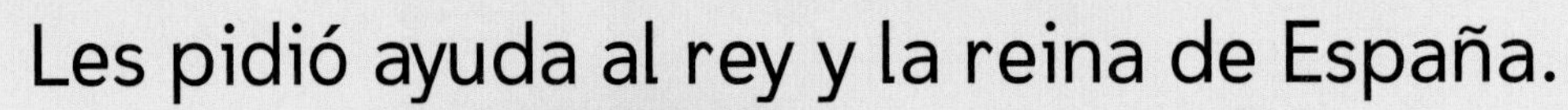

Les pidió ayuda al rey y la reina de España.

El rey y la reina dijeron que no.

Volvió a pedirles ayuda.
Ellos volvieron a decir que no.

Y una vez más, que no.

Pero Colón siguió insistiendo.

Después de muchos años, el rey y la reina dijeron que sí.

Colón navegó hacia lo desconocido
con tres carabelas y noventa marineros.

Las carabelas se llamaban la *Pinta*, la *Niña* y la *Santa María*.

Navegaron los mares durante nueve semanas.

—Nunca volveremos a ver tierra —se quejaban los marineros.

Pero a los pocos días,
uno de los marineros vio algo.

—¡Tierra! ¡Tierra! —gritó.

Colón se arrodilló en la arena
y dio gracias por haber llegado a salvo.

Pensaba que había llegado a las Indias Orientales.

A las personas amables que le dieron
la bienvenida las llamó "indios".

Colón nunca supo que su sueño lo
había llevado a un nuevo continente: ¡América!

N
O
E
S

Colón tuvo un sueño.
Descubrió la ruta.
Muchos otros lo siguieron.